An Gobán Saor

Seán Ua Cearnaigh

Bob Ó Cathail
a mhaisigh

 An Gúm
Baile Átha Cliath

© Foras

Dearadh agus leagan amach: Aongus Ó Coileáin

ISBN 978-1-85791-708-6

Muintir Chathail Teo. a chlóbhuail in Éirinn

Le fáil ar an bpost uathu seo:

An Siopa Leabhar   *nó*   An Ceathrú Póilí
6 Sráid Fhearchair   Cultúrlann Mac Adam-Ó Fiaich
Baile Átha Cliath 2.   216 Bóthar na bhFál
ansiopaleabhar@eircom.net   Béal Feirste BT12 6AH
                                    leabhair@an4poili.com

Orduithe ó leabhardhíoltóirí chuig:
Áis
31 Sráid na bhFíníní
Baile Átha Cliath 2.
eolas@forasnagaeilge.ie

An Gúm, 24-27 Sráid Fhreidric Thuaidh, Baile Átha Cliath 1

An Gobán: Brollach

CÉRBH É FÉIN?

CÚPLA céad bliain i ndiaidh aimsir Phádraig Naofa bhí fear in Éirinn a raibh cáil na ceardaíochta air. Saor den scoth ba ea é nach raibh a mhacasamhail ina thír féin ná in aon tír eile ach oiread.

Bhí de chlú air nach raibh éinne ar domhan a bhéarfadh an chraobh uaidh in obair tógála. A shliocht air, deirtear gur thóg sé tithe taibhseacha, dúnta daingne agus séipéil áille ní hamháin in Éirinn ach in an-chuid tíortha eile chomh maith.

Bhain dainséar leis an obair sin go minic. Ar ócáid amháin agus pálás á thógáil aige do Rí Thír na Gruaime is beag nár maraíodh é féin agus a mhac (nár mhac leis é i ndáiríre – ach míneofar é sin ar ball!)

An Gobán Saor a tugadh air. Taobh ó thuaidh den áit a bhfuil Baile Átha Cliath anois ann a rugadh é, deirtear. Is ann a chaith sé bunús a shaoil. Creideann daoine áirithe gurb é an Gobán a thóg na cloigthithe. Agus tá go leor acu sin fós ina seasamh go dtí an lá inniu.

Tuigimid cad is saor ann, saor cloiche, saor loinge, saor adhmaid agus mar sin de. Ach cad faoina ainm, an Gobán? Arbh é dia coimirceach na ngaibhne é ó thús, Goibhne Gabha? Dia de thríonóid ag na Tuatha Dé Danann ba ea é siúd, an tríonóid a bhain le ceirdeanna. Sin míniú amháin ar an meas a bhí ar an nGobán in Éirinn mar samhlaíodh draíocht riamh leis na gaibhne.

Deirtear fós, 'Chomh glic leis an nGobán Saor'. Caithfidh go raibh sé an-ghlic má mhair an nath sin go dtí an lá inniu. Sa cheathrú scéal sa leabhar seo feicfidh tú nath eile cainte a shamhlaítear leis an nGobán: an craiceann is a luach a bheith agat.

Is iomaí scéal atá ann ina thaobh. Ní dócha go bhfuil aon bhunús leis an ráfla gurb é an Gobán a thóg pirimidí na hÉigipte! Ach arís, cá bhfios?

Seo chugaibh anois cuid bheag de na scéalta a tháinig anuas chugainn agus cuma na fírinne orthu.

An Gobán: Eachtra a hAon

Céad Éacht an Ghobáin

NÍ raibh an Gobán istigh leis féin. Bhí sé iontach míshásta nuair ba chóir dó a bheith sona suairc. Fear óg bríomhar, in ard a shláinte, é féin agus a thuismitheoirí go maith as sa saol. Cad a bhí cearr? Nárbh é an ceardaí ab fhearr ina dhúiche féin é? Nach raibh na comharsana agus a chairde go léir á rá nach raibh a chómhaith de thógálaí ann sa cheantar ar fad?

B'in í an fhadhb. Clú agus cáil air ina cheantar féin ach gan puinn iomrá air aon áit eile in Éirinn. Bhí aislingí aige. Agus an aisling ba mhó? Clú a bhaint amach i ngach cearn den tír, a ainm a bheith i mbéal an phobail, dála Fhinn Mhic Cumhaill nó Cholm Cille Naofa!

Labhair sé lena athair:

'A Dhaid,' ar sé, 'táim chun Éire a shiúl ó bhun go barr. Casfaidh mé leis na ceardaithe is oilte sa tír. B'fhéidir go bhfoghlaimeoinn roinnt scileanna uathu. B'fhéidir, leis, go n-éireodh liom cuid éigin de mo chuid scileanna féin a mhúineadh dóibhsean. Ar aon chuma, cuirfidh mé chun bóthair.'

Rinne a athair a dhícheall chun é a chur ar mhalairt intinne. Ach ní raibh gar ann. D'imigh an Gobán leis.

Shiúil sé cuid mhaith mhór de thír na hÉireann. Sheas sé in Aileach, ar bharr Chruach Phádraig, i dTeamhair na Ríthe agus i gCaiseal Mumhan. Sa deireadh, shroich sé Corcraim Rua i dtuaisceart an Chláir.

Lá de na laethanta sin sheas sé ar réimse talaimh aduain, Boirinn. Boirinn na leac is na dtuamaí. Siar uaidh chonaic sé baile beag lena chuid tithe sciamhacha. Bhí grúpa beag fear ina seasamh i lár an bhaile. Bhí cuma ghruama orthu. Labhair an Gobán le duine díobh:

'Tá cuma bhuartha oraibh, a fheara. Cad is cúis leis seo go léir? Nach bhfuil baile breá seascair agaibh?'

'B'fhéidir é,' arsa mo dhuine, 'ach tá deis iontach caillte againn.'

'An bhfuil anois?' arsa an Gobán.

'Thart faoi leathbhliain ó shin tháinig triúr ceardaithe chugainn, tógálaithe den scoth. Gheall siad go dtógfaidís iontas thar iontais na cruinne dúinn – rud éachtach ar fad nach bhfeicfí a leithéid go deo ar chlár an domhain go léir. Chreideamar iad go deimhin agus bhíomar sna seacht bhflaitheas. Ach – ar nós go leor dá leithéidí – bhí na ceardaithe úd faoi gheasa…'

'Conas?'

'Sea, a dhuine uasail, fad is a bheadh an saothar mór seo á chruthú acu ní bheadh cead ag aon duine teacht go dtí an baile agus breathnú orthu. Rinneamar rud orthu. Thréigeamar an baile fad is a bhí an obair ar siúl. Ach mo léan iad na mná! Bhí bean rua inár measc agus í marbh ag an bhfiosracht. Fuair an fhiosracht an ceann is fearr uirthi. Isteach léi gur bhreathnaigh ar na ceardaithe agus iad i mbun oibre. Bhailigh na tógálaithe leo láithreach bonn. Ní fhaca aon duine ó shin iad. Cén t-iontas mar sin go bhfuilimid faoi bhrón!'

'A chairde,' arsa an Gobán leo, 'an ndéarfadh sibh gur ceardaí oilte mise?'

'Tá tú an-óg, a mhic; ní dócha go ndearna tú éacht ar bith go fóill.'

'B'fhéidir nach ndearna,' arsa an Gobán. 'Ach táim sásta tabhairt faoi agus éacht a dhéanamh a bhéarfadh an chraobh ó na ceardaithe is fearr ar domhan.'

CAT CHIS AN CHAIRN

Thosaigh an slua ag gáire. D'fhéachadar ar an bhfear óg agus chroitheadar a gceann.

D'imigh an Gobán leis. An oíche sin chuir sé faoi i dteach an tseanchaí. D'inis an seanchaí scéal dó, scéal scáfar faoi chat mór millteanach a mhair i ndúiche Bhoirne míle éigin bliain roimhe sin, cat a bhí chomh mór le cú seilge, cat fíochmhar fealltach a chuir scéin ar chách – brúid bhinbeach ar ar tugadh Rí na gCat… Cat Chis an Chairn!

Chomh luath géar agus a chuala an Gobán an scéal sin bhí a fhios aige go raibh leis. Bhí a fhios aige cad a chruthódh sé. Cad eile ach dealbh de Chat Chis an Chairn. Dealbh a chuirfeadh idir scéin is iontas ar an domhan mór.

An lá dár gcionn chuaigh an Gobán go bun an bhaile. Ní raibh duine ná deoraí ina chónaí ansin. Níor thug aon duine faoi deara é ná níor labhair duine ar bith leis. Chuaigh sé i mbun oibre. D'oibrigh sé an lá ar fad agus ó tharla gur oíche ghealaí a bhí ann, níor stop sé dá shaothar. Faoi bhreacadh an lae bhí an saothar mór curtha i gcrích aige. Isteach leis faoin mbaile. Bhí cúpla duine ag bogadh thart. Ní dúirt an Gobán leo ach é a leanúint. Lean. Nach orthu a bhí an t-iontas nuair a chonaiceadar cad a bhí rompu. Áit nach raibh ach meall mór d'aolchloch cheana bhí anois dealbh mhór niamhrach. Dealbh scéiniúil… cat bagrach binbeach, cat a bhí níos mallaithe ná an tíogar féin. Cloigeann fíochmhar. Súile nimhneacha. Eireaball fada lúbach casta. Crúba miotalacha.

Nach ar na fir a bhí an t-iontas. Scaip an scéal ar fud an cheantair. Mhol gach éinne an Gobán; mholadar go hard na spéire é. D'iarradar air fanacht ina measc go buan. Chruthódh sé rudaí iontacha eile. Thuillfeadh sé glóir agus gradam don bhaile. Ach dhiúltaigh an Gobán Saor dóibh. Cumha a bhí air. Theastaigh uaidh filleadh ar a bhaile dúchais féin. Thuig sé anois gur cheardaí sárchumasach ab ea é. Bhí a fhios aige go mbeadh na sluaite ag teacht chun féachaint ar an gcat aige agus go leathnódh a cháil ar fud na hÉireann.

D'fhág sé slán ar dhúiche Bhoirne gur fhill ar chósta an oirthir agus a bhaile seascair féin. Chuir a athair agus a mháthair fíorchaoin fáilte roimhe.

An Gobán: Eachtra a Dó

An Bhean Siúil

ANOIS agus an Gobán ar ais ina bhaile dúchais leath a cháil ar fud Chúige Laighean agus Ríocht na Mí. Thóg sé tithe go leor, dúnta agus séipéil agus bhí gach éinne buíoch de, taoisigh, manaigh agus eile. B'álainn ar fad gach foirgneamh a thóg sé. Thóg sé grianán niamhrach, fiú, i dTeamhair: d'Ardrí na hÉireann!

I gceann na haimsire phós sé. Áine ab ainm dá bhean. Iníon amháin a bhí acu. Áine Óg. Faraor, ní raibh Áine Óg ach ina leanbh bídeach nuair a cailleadh an mháthair.

Bhí an Gobán croíbhriste. Ach ní raibh leigheas air mar scéal. Bhí a iníon bog óg agus chaithfeadh sé aire cheart a thabhairt di.

Ar feadh i bhfad ní dhearna an Gobán rud ar bith a thógáil lasmuigh dá cheantar féin. Tar éis tamall de bhlianta, áfach, agus Áine Óg ag teacht i méid, bhí sé in ann obair a ghlacadh i bhfad ó bhaile.

Bheireadh sé Áine Óg leis i gcónaí agus é i mbun na hoibre sin.

Bhí sé iontach ceanúil ar Áine. Chomh cliste ciallmhar is a bhí sí! Agus aibí freisin! Ach b'údar bróin dó gan mac a bheith aige. Bhí Áine thar a bheith cliste, mar a dúramar, ach níorbh ábhar tógálaí í. Ní bhíodh mná i mbun a leithéide. Ach mac – nach é an mac a dhéanfadh gaisce mar cheardaí. Ach mac a bheith aige, d'fhéadfadh sé a bheith cinnte go leanfaí de thraidisiún an teaghlaigh.

Lá dá raibh an Gobán agus a bhuíon oibrithe ag tógáil séipéil i nGleann na Smól agus Áine in éineacht leo, ghabh bean siúil an tslí. Bhí buachaill óg léi. Bheannaigh an bhean siúil don Ghobán:

'Bail ó Dhia ar an obair. Nach galánta an séipéal sin atá á thógáil agaibh.'

'Mhuise n'fheadar,' arsa an Gobán. 'Ach féach, tá cuma thraochta ort féin agus ar an ngasúr sin. Nach suífeadh sibh síos go gcaithfeadh sibh béile linn!'

Ghabh sí buíochas leis. Nuair a bhí an béile caite aici labhair sí le hÁine Óg:

'Mhuise, is álainn an cailín thú, a stór. Ba bhreá liom girseach ghnaíúil mar thusa a bheith liom agus

bóithre fada bána na hÉireann a shiúl leat.'

'Réiteodh sé sin go breá liomsa,' arsa Áine.

'Ach nach bhfuil mac agat a chiorródh an bóthar duit?' arsa an Gobán.

'Tá,' ar sise, 'mac. Ach is macasamhail a athar é, go ndéana Dia trócaire ar na mairbh. Ní raibh puinn spéise ag an athair sa taisteal ná sa déircínteacht agus is mar an gcéanna dó siúd. B'fhearr leis a bheith lonnaithe san áit chéanna i gcónaí. Á, tá mo chroí briste aige. Níl faic ina cheann ach seanscéalta agus amhráin. Ní iarrfadh sé déirc ar fhear bréige. Agus níl sé umhal dá mháthair mar ba cheart.'

'Bhuel,' arsa an Gobán, 'is trua gan mac agam féin. Dá mbeadh, dhéanfadh sé mo thoil, mise á rá leat. Bheadh sé ina cheardaí den scoth agus mar thaca agam agus mé amach san aois.'

'Sea,' arsa an bhean, 'thabharfainn mo mhacsa duit ar iompú do bhoise ach d'iníon a thabhairt dom ina áit.'

Rinne an Gobán machnamh. Sa deireadh labhair sé:

'B'aoibhinn liom mac a bheith agam. Agus teastaíonn iníon uaitse. Bíodh sé ina mhargadh. Ach cad deir na páistí?'

'Ba bhreá liomsa a bheith i gcomhluadar na

bhfear, a dhuine uasail,' arsa an buachaill. 'Rachaidh mé leat!'

'A Dhaid,' arsa Áine Óg, 'bheinn fíorbhrónach i do dhiaidh. Ach casfar ar a chéile arís sinn! Rachaidh mé leis an mbean siúil.'

'Agus beidh mise mar mháthair agat,' arsa an bhean siúil. 'Tabharfaidh mé gean agus grá duit, de lá is d'oíche. Agus siúlfaimid bóithre fada bána na hÉireann le chéile.'

Labhair an Gobán leis an leaid óg: 'Agus beidh mise mar athair agat go deo, a mhic mo chroí. Beidh tú ag obair liomsa as seo amach. Tógfaimid foirgnimh nach bhfacthas go dtí seo in Éirinn. Agus má bhím riamh in ísle brí, inseoidh tú scéalta agus casfaidh tú amhráin dom.'

Bhí ina mhargadh. Agus is mar sin a chuaigh mac na mná déirce chun cónaithe leis an nGobán Saor. Sea, bhí mac aige sa deireadh, mac nár leis é ach mac a raibh sé an-cheanúil go deo air.

An Gobán: Eachtra a Trí

'Mac' an Ghobáin

SÁSTA go maith a bhí an buachaill óg, mac na mná siúil, i dteach an Ghobáin. Níor thaitin an ródaíocht riamh leis. Chuidigh sé leis an nGobán, a athair nua, agus bhí an chuma air go mbeadh bua na ceardaíochta aige féin nuair a thiocfadh sé i méid.

Bhí sé ag fás suas go sciobtha agus níorbh fhada go raibh sé ina oibrí oilte. Ba chóir don Ghobán a bheith lánsásta leis. An raibh? Ní raibh. Agus cúis mhaith aige.

Riamh ó bhí sé féin ina gharsún chuir an Gobán béim mhór ar an stuaim agus ar an gclisteacht. Stuama cliste a bhí sé féin ó dhúchas agus an iníon bheag – a lig sé uaidh – ar an gcaoi chéanna.

Ach níorbh amhlaidh i gcás an mhic óig. Bhí sé ionraic gnaíúil gealgháireach. Ach cliste? Ní raibh in Éirinn leaid óg chomh saonta leis. Cé nárbh amadán é ní raibh puinn éirime ann. Nach ndearna sé dearmad ar a ainm dílis féin, fiú!

Cúpla mí i ndiaidh dó teacht chun cónaithe leis an nGobán, rith sé leis an gceardaí nárbh eol dó ainm a mhic nua.

'Cad is ainm duit, a bhuachaill?' ar seisean leis. 'Táim bréan de bheith ag tabhairt "a bhuachaill" ort!'

Thochais sé a cheann. Ar ór ná ar airgead ní raibh sé in ann cuimhneamh ar a ainm féin.

'An mar sin atá sé?' arsa an Gobán. 'Ó mhuise, mhuise, beag an baol go ndéanfadh m'iníon dearmad ar a hainm…'

* * *

Oiread agus focal amháin ní raibh cloiste ag an nGobán faoi Áine Óg ó d'fhág sí an baile. Ba bhean déirce í an mháthair nua a bhí aici agus iad beirt ag gabháil thart faoi thír mhór na hÉireann. Cá raibh siad anois? In Ultaibh, i gConnachta, thíos i gCorca Dhuibhne? Ag Dia amháin a bhí a fhios. Bhí cathú ar an nGobán anois gur ghlac sé dúdaire de gharsún in áit a chailín aigeanta féin.

Le himeacht aimsire is in olcas a chuaigh an scéal. Ní raibh i gceann an mhic ach ceol, amhráin agus scéalta. Bhí sé meallta ag na seanlaoithe, na scéalta faoi Chú Chulainn, na Fianna agus Tuatha Dé Danann. Lugh Lámhfhada an laoch a bhí aige. Bhíodh sé ag insint na scéalta céanna go minic don

Ghobán agus dá chairde. Sa deireadh, thosaigh an Gobán ag tabhairt 'Lugh' air. D'oir an t-ainm go seoigh dó agus bhí an garsún breá sásta leis. Lugh a bhí air as sin amach.

Ní mó ná sásta a bhí na manaigh sa scoil ar a raibh an buachaill ag freastal. Ainm págánta a thabhairt ar Chríostaí! Bíodh sin mar atá, Lugh a bhí feasta air.

D'imigh na blianta thart. Bhí Lugh anois ina fhear óg. É lách séimh. É in ann lá fiúntach oibre a dhéanamh chomh maith le ceardaí ar bith. Ach fós féin, bhí sé saonta. Is iomaí bob a buaileadh air. Chuireadh a chomhoibrithe an dallamullóg go minic air, mar phíosa spraoi. Ach ní mar sin a d'fhéach an Gobán ar an scéal. Bhí leathnáire air. Eisean an duine ba chliste in Éirinn agus dúdaire de mhac aige. Thabharfadh sé a raibh aige sa saol ach Áine Óg a bheith ar ais leis.

Bhuail smaoineamh é. Dar leis go raibh na mná i bhfad níos stuama ná na fir. Bean stuama. B'in a theastaigh óna mhac. Ach é a bheith pósta ar chailín stuama a chuirfeadh dea-chomhairle air ní dhéanfadh sé seó bóthair de féin a thuilleadh.

'Cleamhnas!' ar seisean. 'Aimseoidh mé cailín ceart dó. Cailín breá stuama!'

An Gobán: Eachtra a Ceathair

Cleamhnas

ANOIS go raibh a intinn socraithe aige chuaigh an Gobán Saor i mbun gnímh. Chuir sé fógra amach ar fud na hÉireann go raibh cailín cliste á lorg aige mar chéile dá mhac. Tháinig na cailíní ó gach aird. Bhí a fhios acu go raibh a dhóthain óir agus airgid ag an nGobán. Agus ní raibh an mac ar an ngannchuid ach an oiread. Rud eile dhe, fear breá ab ea Lugh. Sea, go deimhin!

Chuir an Gobán agallamh ar na hainnireacha go léir. Bhí cuid acu éirimiúil cliste. Ach ní rabhadar cliste go leor, dar leis an nGobán. Má theip orthu oiread is ceist amháin a fhreagairt bhí deireadh lena seansanna. Agus is ag an nGobán a bhí na ceisteanna!

Bhí an fear bocht in ísle brí. Cá bhfaigheadh sé an cailín ceart? Ansin chuala sé faoin saoi iomráiteach seo i ndúiche Chnoc Áine. Bhí triúr iníonacha aige, duine acu níos cliste ná a chéile.

Sheol sé teachtaire chuige. I gceann na haimsire tháinig an saoi agus na hiníonacha ina theannta. Bhí plean ag an nGobán. Labhair sé leis an gcéad chailín. Bríd ab ainm di.

'Tar liom, a Bhríd,' arsa an Gobán léi.

Ar aghaidh leo ansin chuig ceann de sheomraí galánta an tí. Bhí lear mór óir agus airgid ann.

'Anois, a stór,' ar sé, 'dá mbeifeása pósta ar Lugh, conas a chaithfeá an t-airgead go léir?'

'Ar ornáidí,' ar sí, 'agus éadaí gleoite.'

'Mhuise! Ní tusa a bheidh á chaitheamh, a thaisce!' arsa an Gobán léi. 'Bailigh leat.'

Tháinig an dara cailín. Méadhb ab ainm di. Chuir sé an cheist chéanna uirthi, conas a chaithfeadh sí an t-airgead.

'Chuirfinn faoi ghlas é ionas nach gcaillfinn aon phioc de ná aon phioc de a chaitheamh ach an oiread.'

Dúirt sé léi bailiú léi. Tháinig an tríú duine, Aisling.

'Cad a dhéanfainn, a Ghobáin,' ar sí, 'ach cur leis lá i ndiaidh lae agus le himeacht aimsire bheinn ar dhuine de na mná is saibhre in Éirinn.'

'Nach santach saolta thú,' arsa an Gobán léi. 'Leagfaidh mé amach teist bheag eile duit.'

Amach leis. D'fhill sé arís tar éis tamaill agus craiceann caorach leis.

'Anois, a Aisling,' ar sé. 'Tá craiceann caorach anseo agam mar a fheiceann tú. An gceannófá uaim é?'

'Cheannóinn ach an praghas a bheith ceart,' ar sise. Luaigh an Gobán an praghas.

Saor go maith, mheas Aisling, ach fós ní raibh sí sásta. Thosaigh sí ag margáil leis an nGobán. Sa deireadh thairg sí praghas dó a bhí thar a bheith íseal.

'Glacaim leis an tairiscint,' arsa an Gobán, 'ach ar aon choinníoll amháin: is é sin, an craiceann agus a luach a bheith agam.'

Bhí Aisling ar buile. 'Cén saghas margaidh é sin? Slán leat, a dhuine, ní haon óinseach mise bíodh a fhios agat.'

Chuaigh na cailíní abhaile. Bhí an Gobán tromchroíoch go maith.

An Gobán: Eachtra a Cúig

AN CRAICEANN AGUS A LUACH

SEA, is in ísle brí a bhí an Gobán bocht. Bhí ag teip glan air cailín cliste a aimsiú dá mhac. Bhí an scéal ag teacht idir é agus codladh na hoíche.

Ansin bhuail smaoineamh é. 'B'fhéidir,' ar seisean leis féin, 'b'fhéidir nach bhfuil Lugh chomh hamaideach agus a cheaptar. Féach… an teist sin a chuir mé ar an gcailín úd ó Chnoc Áine. Aisling, sea. Nach bhféadfainn an cheist chéanna a chur ar Lugh? Feicfimid conas a chuirfidh sé chuige.'

'Anois, a mhic, beidh Aonach amárach – '

'I gContae an Chláir, ab ea?'

'Ní hea. Ar bharr Chnoc Uisnigh, i lár na tíre. Beidh na sluaite ann. Beidh spórt agus spraoi agus tionól dlí ann. Ach, níos tábhachtaí fós, beidh díol is ceannach ann. Tá craiceann anseo agam… craiceann caorach den scoth. Teastaíonn uaim é a dhíol.'

'Ní bheidh sé sin ródheacair,' arsa Lugh. 'Bíonn an-éileamh i gcónaí ar chraicne caorach.'

'Bíonn,' arsa an Gobán. 'Ach fan! Ní hé amháin go bhfuilim ag súil lena luach ach bheinn ag súil go dtabharfá an craiceann leat abhaile chomh maith.'

'Óró!' arsa Lugh. 'Tasc dodheánta!'

'Ní hea in aon chor, má chuireann tú chuige i gceart. Anois, is fada Uisneach uait. Ba chóir duit a bheith ag bualadh bóthair. Faigh an capall is an cóiste beag is imigh leat.'

Chuir Lugh chun bóthair. Bhí mearbhall air. An raibh an Gobán as a mheabhair? An craiceann a dhíol agus an craiceann féin a thabhairt abhaile leis!

Bhain sé an tAonach amach go luath an lár dár gcionn. Bhí na mílte i láthair, Ard-Rí na hÉireann agus a chuid uaisle ina measc. Spórt agus spraoi, nua gach bia agus sean gach dí ann. Lúthchleasaíocht agus rásaíocht chapall, filí, cruitirí, amhránaithe. Cásanna agus fadhbanna dlí á réiteach ag an Ard-Rí agus a chuid breithiúna. Ar achar réidh den chnoc bhí eallach agus ainmhithe eile á ndíol is á gceannach.

Ghabh Lugh ar aghaidh go dtí an láthair sin. Chuir go leor daoine spéis sa chraiceann caorach aige. Tairgeadh praghsanna maithe dó. Ach nuair a dúirt Lugh go raibh luach an chraicinn agus an craiceann féin uaidh, thosaigh gach éinne ag gáire. 'A leithéid d'amadán! An gceapann sé gur gamail is ea sinn?'

Theip ar Lugh ceannaitheoir a fháil. Bhí díomá air. Cad déarfadh a athair? Síos an cnoc leis. Cad a chonaic sé roimhe ansin ach puball sciamhach. Bhí bord leagtha amach le hais an phubaill ar a raibh róbaí, geansaithe agus gúnaí galánta, iad uile déanta d'olann. Láimh leis an mbord bhí cailín óg álainn ina suí agus tuirne beag os a comhair amach. Í ag sníomh olla cuid den am, tamall eile agus a cuid earraí aici á ndíol.

Dhruid sé anonn chuici gur bheannaigh di. D'fhreagair sise go séimh é:

'Ar mhaith leat rud éigin a cheannach, a fhir óig? Nó an ag iarraidh an craiceann breá sin a dhíol atá tú?'

D'inis Lugh a scéal di. Níor inis sé di gur mac leis an nGobán é. Rinne an cailín gáire croíúil.

'Ní heol dom ach fear amháin in Éirinn a chuirfeadh a leithéid de theist ar dhuine. An Gobán Saor. An bhfuil an ceart agam?'

'Cén cur amach atá agatsa ar an nGobán?' arsa Lugh.

'Nach bhfuil a fhios ag an saol mór cé hé féin.

Bhí aithne mhaith agam féin air fadó. Ní rabhas ach im ghirseach bheag ag an am, ar ndóigh. Sea, is duine aisteach é. An craiceann agus a luach! Ach ná bí buartha. Tabharfaidh mise an craiceann agus a luach duit.'

Bhí iontas ar Lugh. Luaigh sé an praghas a bhí uaidh, praghas réasúnta go leor. Thug an cailín dó é. Rug sí ar an gcraiceann ansin. Sháigh sí isteach é

i dtobán uisce a a bhí ar chúl an phubaill. Chuaigh sí i mbun oibre ansin. Ansin shín sí an craiceann lom ar ais chuig Lugh.

'Anois, a dhuine,' ar sí, 'níl an craiceann uaim. An olann amháin a bhí uaim. Slán leat agus tá súil agam go mbeidh d'athair lánsásta leat. Táim cinnte go gcasfar ar a chéile arís sinn.'

Abhaile le Lugh agus sceitimíní air. Agus a raibh de ríméad ar an nGobán! 'An cailín sin.' ar sé, 'í ar comhaois leat féin, ab ea? Í thar a bheith sciamhach? Agus cliste lena chois! An raibh ball beag donn ar a leiceann clé, seans?'

'Anois ó luann tú é, sílim go raibh,' arsa Lugh.

'Díreach mar a cheapas! An bhfuil a fhios agat, a mhic, gur ag caint le hÁine a bhí tú… Áine, m'iníon álainn féin. Nach aibí atá sí! Caithfidh sí teacht chun cónaithe linn. Is í m'iníon dhílis féin í. Cé go bhfuil glactha agam leat le fada mar dhuine dem chlann, is mac le bean siúil thú. Sea, caithfear teacht ar Áine. Cuirimis chun bóthair go luath maidin amárach.'

An Gobán: Eachtra a Sé

AG GIORRÚ AN BHÓTHAIR

GO luath maidin an lae dár gcionn chuir Lugh agus an Gobán chun bóthair. An samhradh a bhí ann. Bhí aistear fada rompu agus theastaigh uathu Cnoc Uisnigh a bhaint amach roimh thitim na hoíche.

Mall go leor a bhíodar ag cur na mílte díobh. Bhraith an Gobán go raibh an bealach thar a bheith fada fadálach. Labhair sé le Lugh:

'Giorraigh an bóthar dom, a mhic…'

'In ainm Dé, conas d'fhéadfainn é sin a dhéanamh? Dia amháin a bhainfeadh orlach den bhóthar.'

Bhí díomá ar an nGobán.

Leanadar ar aghaidh ar bheagán luais. Bhí an oíche ag titim nuair a bhaineadar Uisneach amach. Chuir siad tuairisc chailín na holla. Teach beag adhmaid agus ceann luachra air a bhí aici. Chuir sí fíorchaoin fáilte rompu agus rug barróg ar an nGobán.

'Mhuise, mhuise, a athair liom,' ar sise, 'nach fada a d'fhan tú gan mo thuairisc a chur!'

Bhí na deora leis an nGobán. 'A Áine, a chroí,' ar seisean, 'd'airigh mé uaim go millteanach thú. Ach ní raibh a fhios agam cá raibh cónaí ort. Nár bhean siúil í do mháthair nua is sibh de shíor ag imeacht ó áit go háit.'

'B'in an saghas saoil a bhí againn ceart go leor, a Dhaid,' arsa Áine, 'seal ar chósta an iarthair, sealanna eile in Aileach nó in Uíbh Ráthach. Ag bogadh linn ó áit go háit de shíor. Ach táim bréan den taisteal anois agus mé socraithe síos anseo i lár na tíre.'

'Ach ceard faoi do mháthair?'

'Bidí bhocht, ab ea? Fuair an créatúr cneasta bás anuraidh. Bhí saol crua aici, gan teach gan talamh ná díon os a cionn.'

'Agus cén fáth nár tháinig tú ar ais chugamsa?' arsa an Gobán.

'Ní rabhas cinnte an gcuirfí fáilte romham. Nár lig tú uait fadó mé!'

'Lig, faraor! Ach bíodh a fhios agat gur geal liom m'iníon bheag álainn féin i gcónaí. Tar abhaile liom, a stóirín.'

'Ní fhéadfainn imeacht ar an toirt. Chaithfinn an teach beag seo agus a bhfuil d'éadaí olla agam a dhíol ar dtús. Ach an leaid breá atá leat, seol chugam i gceann coicíse é agus rachaidh mé abhaile leis. Rachaidh, cinnte!'

I rith an ama sin ar fad ní raibh gíog ná míog as Lugh. Ach bhí sé ag breathnú ar Áine agus ag tabhairt taitnimh di. Ba bhreá a fad an cailín í, gan a bheith ró-ard ná ró-íseal, í dea-chumtha dea-ghléasta. Folt dubh catach uirthi, meangadh gáire ar a beola, a súile go glinn glioscarnach. Bhraith Áine go raibh Lugh ag cur spéise inti… tuigeann cailíní a leithéid. Agus Áine féin… ní raibh sí míshásta in aon chor. Ba bhreá an buachaill é Lugh.

Ar aghaidh leis an nGobán ansin agus i bpáirc ar chúl an tí scaoil sé an capall dá chóiste. Bhain sé beart féir. Ar aghaidh leis ansin chuig sruthán agus líon buicéad uisce. Thug sé an féar agus an t-uisce don chapall. Bhí an t-ainmhí bocht stiúgtha. Agus é sin go léir ar siúl ag an nGobán, bhí Lugh ag caint le hÁine:

'Cuirfear fáilte an domhain romhat nuair a thiocfaidh tú abhaile chugainn, a Áine.'

'Go raibh maith agat, a Lugh. Féach, réiteoidh mé greim bia daoibh nó ní foláir nó tá an-ocras oraibh i ndiaidh an aistir fhada atá déanta agaibh.'

'Mhuise, bhí sé fada go maith, a chailín. Ach cogar, cad a bhí á rá ag m'athair – an bóthar a ghiorrú? A leithéid de raiméis.'

'Abair liom, a Lugh,' ar sise, 'cén fáth ar bhraith tú go raibh an bealach chomh fada sin?'

'Toisc is dócha go raibh an capall ag dul ar aghaidh chomh malltriallach sin agus gan mórán comhrá ar siúl eadrainn, is é sin mé féin is an Gobán.'

'Agus abair go raibh comhrá breá bríomhar ar bun agaibh, nó píosa ceoil nó – níos fearr fós – scéal spéisiúil á insint ag duine agaibh. Ní bheadh an bóthar chomh fada sin in aon chor, an mbeadh?'

'Tá an ceart agat, a Áine.'

'Bhuel, inis scéal fada don Ghobán amárach… eipic éigin, nó scéal Fiannaíochta.'

Chaitheadar béile breá blasta i dteachín Áine. Amach leis an nGobán agus Lugh ansin. Bhí an oíche go breá. Shíneadar ar an bhféar agus níorbh fhada gur thit a gcodladh orthu.

Chuireadar chun bóthair go luath an mhaidin dár gcionn. Ní raibh an leathmhíle féin curtha díobh acu nuair a labhair an Gobán:

'Giorraigh an bóthar dom!'

Thosaigh Lugh ar eachtra fhada a insint faoi Oisín i ndiaidh na Féinne:

'Arsa Pádraig maidin le hOisín: "A Oisín, is fada do shuan. Éirigh amach go n-éiste tú sailm na cléire."

"Níl mo spéis i gcléirigh," arsa Oisín, "agus ní binn liom bhur gceol i ndiaidh na Féinne."

"Níor chuala tú ceol ba bhinne ná na sailm ó thús do shaoil…"'

Agus lean Lugh ar aghaidh. Seanchaí den scoth ab ea é. Is gearr go raibh an baile bainte amach acu.

'Mhuise, a Lugh, a thaisce,' arsa an Gobán, 'bhí sé sin ar na scéalta is fearr dár chuala mé riamh. Is tú a ghiorraigh an bóthar i gceart.'

Cúpla seachtain ina dhiaidh sin chuir Lugh chun bóthair arís is thug Áine abhaile leis. Níl insint béil ar an gceiliúradh a rinneadh. Trí lá agus trí oíche a mhair an chóisir.

Níorbh é sin deireadh an scéil. Faoin am sin bhí Lugh agus Áine go mór i ngrá lena chéile agus rún pósta acu. Chuir siad fios ar an sagart. Ba leasc leis an sagart iad a phósadh. Toisc gur iníon leis an nGobán í Áine agus gur mac altrama leis Lugh bhí bac dosháraithe ann, dar leis an sagart. Níor aontaigh an Gobán leis:

'Tá a fhios agam gur mac altrama liom is ea Lugh, a Athair. Ach níl aon ghaol idir é féin agus Áine. Cuirfidh mé fios ar an Easpag!'

Agus chuir. Rinne an tEaspag a mhachnamh ar an scéal. Sa deireadh tháinig sé ar aon intinn leis an nGobán. Chuir sé féin cuing an phósta ar an mbeirt agus d'admhaigh sé nach bhfaca sé lánúin ní ba dheise riamh ná iad. Is ar an gcaoi sin a pósadh iníon agus mac an Ghobáin.

An Gobán: Eachtra a Seacht

Tír na Gruaime

BHÍ Lugh agus Áine sona sásta lena chéile, an saol ar a dtoil acu. I gceann na haimsire rugadh beirt pháistí dóibh, buachaill breá, Aodh agus cailín gleoite, Áine (a Dó!).

Bíodh is go raibh sé ag dul anonn in aois, bhí an saol ar a thoil ag an nGobán chomh maith. Ní hamháin go raibh a ainm in airde i ngach aird d'Éirinn ach bhí iomrá air ar fud chuid mhór den domhan. Ba mhinic thar lear é, é féin agus Lugh agus buíon dá gcuid oibrithe, iad ag tógáil pálás nó caisleán nó tithe móra maorga. Ach bhíodh áthas orthu i gcónaí agus iad ag filleadh ar Éirinn.

Samhradh amháin bhíodar ag obair ó thuaidh, láimh le Loch Cairlinn. Lá dá raibh an Gobán agus Lugh agus a mbuíon ag tarraingt ar an suíomh tógála chonaiceadar long bheag ar ancaire sa loch. Labhair captaen na loinge leis an nGobán: 'A Ghobáin,' ar seisean, 'tar ar bord loinge liom, tú féin agus Lugh. Teastaíonn uaim labhairt libh.'

Chuadar ar bord. Fear beag uafar a bhí sa chaptaen a raibh lámha móra air agus cosa gágacha faoi. Ach má bhí cuma aisteach ar an gcaptaen bhí a chriú – a bhí ina seasamh rompu ar deic – níos gránna fós. Dreach dorcha gruama orthu go léir.

Labhair an captaen: 'Fáilte romhaibh, a Ghobáin agus a Lugh. Is mise Mowgill, captaen loinge de chuid Chabhlach Rí Thír na Gruaime. Tá aistear mór fada curtha dínn againn ar ordú óna Shoilse, an Rí. Tá jab mór aige daoibh: pálás nua le tógáil aige, ceann taibhseach nach bhfacthas a leithéid riamh cheana agus nach bhfeicfear a mhacasamhail go deo arís. Níl ar domhan ach beirt a bheadh in ann a leithéid a thógáil dó. Sibhse!'

Labhair an Gobán: 'Tír na Gruaime a deir tú, a Chaptaein? 'Bhfuil sí i bhfad ón ait seo?'

'Míle míle nó mar sin,' arsa an captaen.

'Agus cén fáth a dtugtar Tír na Gruaime uirthi?'

'Mar go bhfuil gach éinne faoi ghruaim ann. Is fear dúr doilíosach é an Rí seo againne, bail ó Dhia air. Ní thugann sé cead d'éinne scéal grinn a insint ná gáire a dhéanamh.'

'Is eagal liom, a Chaptaein,' arsa an Gobán, 'nach

dtig linn a bheith libh. Táimse ag éirí sean agus Lugh anseo, is fear pósta é agus cúram mná agus clainne air.'

'Ní bheidh sibh ach bliain amháin – ar a mhéid – as baile.'

'Ach ní mian linn imeacht libh in aon chor!' arsa an Gobán.

'Feicim go bhfuil sibh ceanndána stuacánach, rud nach dtaitneodh a bheag ná a mhór leis an Rí. Maidir liom féin, bainfidh sé an ceann díom má théim abhaile gan sibh.'

Thug sé ordú ansin don chriú:

'Beirigí orthu, a fheara!'

Rug an criú ar an mbeirt gur chuireadar ceangal na gcúig gcaol orthu.

'A fheara,' arsa an captaen le foireann an Ghobáin a bhí ina seasamh láimh leis an long, 'tá an Gobán agus Lugh ag imeacht linne go Tír na Gruaime chun pálás a thógáil dár Rí ann. Ach beidh siad ar ais in Éirinn taobh istigh de bhliain. Ná bígí buartha fúthu.'

Mí iomlán a chaitheadar ar an bhfarraige. Sa deireadh thiar bhaineadar Tír na Gruaime amach. Tír álainn a bhí inti, ainneoin an ainm ghránna, tír a bheadh ina parthas ach rí ceart a bheith á rialú. Tíoránach gan trua gan trócaire ab ea Bagdor, rí na tíre.

Bhaineadar an pálás amach, foirgneamh fíorálainn. B'údar iontais don Ghobán agus do Lugh nach raibh Bagdor sásta leis. Thug an Captaen Mowgill míniú ar an scéal dóibh:

'Is amhlaidh,' a dúirt sé, 'go bhfuil pálás níos

galánta ag Rí na Spáinne agus ceann níos áille fós ag Rí na Gréige. Tá Bagdor go mór in éad leo. Ní bheidh sé sásta go mbeidh an pálás is gleoite dár tógadh riamh aige. Nár chóir go mbeadh bród oraibh gur sibhse a roghnaigh sé?'

Ach puinn bróid ní raibh orthu. Thabharfaidís a raibh de mhaoin shaolta acu ach a bheith ar ais in Éirinn. Bhuaileadar le Bagdor. Bhí sé lách séimh leo. Ach rómhaith a thuigeadar go raibh sé brúidiúil cruálach, go bhféadfadh sé iad a shacadh isteach i gceann dá chuid doinsiún is an cloigeann a bhaint díobh mura n-éircodh leo é a shásamh. Ní raibh lá dár imigh nár cuireadh diabhal bocht éigin chun báis.

Ach bhí an rí lách go maith leis an mbeirt:

'Ní foláir,' ar sé, 'ní foláir go bhfuil an-tuirse oraibh i ndiaidh an aistir mhóir atá curtha díbh agaibh. Tig libh cúpla lá saoire a ghlacadh. Go luath maidin Dé Luain seo chugainn cuirfidh sibh chun oibre. Scór de na saoir is fearr sa tír beidh siad ag cuidiú libh. Déanfaidh siadsan an obair asail daoibh. Cuirfidh sibhse an dlaoi mhullaigh ar an tionscadal ar ball. A fheara, táim ag súil le héachtaí uaibh. Ná ligigí síos mé!'

SÁINN

CHUAIGH an Gobán Saor agus Lugh i mbun oibre an Luan dár gcionn agus scór saor ag cuidiú leo. Bhí leaid óg rua in éineacht leo. Giolla iompair a bhí ann. Gach a mbeadh de dhíth ar na saoir cloiche, idir ábhar agus uirlisí, ba é a ghnó siúd iad a bhreith leis chucu ó bhoth stórála an rí.

Thug an Gobán agus Lugh gean ar leith don bhuachaill óg seo. Ba léir dóibh gur ghasúr ciúin gan chluain é ach é pas beag saonta ar uairibh. Leaid breá dathúil a bhí ann ach ba léir ón bhféachaint léanmhar ar a ghnúis go raibh rud éigin ag cur as dó.

Sular chuir na saoir chun oibre, labhair Bagdor leis an nGobán:

'Tá mo bhrath go hiomlán ort, a mháistir-cheardaí. Tóg an pálás is deise daingne ar domhan dom. Bíodh sé chomh hard leis an sliabh is airde sa tír, seomraí cúirte agus seomraí rúnda ann, mar aon le hallaí maorga is urláir mharmair, ballaí breac le snoíodóireacht shuntasach, dealbha d'ainmhithe agus d'éin thall is abhus. Bíodh na túir déanta d'ór agus d'airgead, spuaiceanna niamhracha orthu a mbeadh a gcuid scáileanna le feiceáil na mílte i gcéin.'

D'imigh an rí leis. Rinne an Gobán gáire.

'Mhuise,' ar seisean, 'ní dada beagán, a Lugh! Sílim go gceapann an rí gur leag sé amach tasc dodhéanta dúinn. Ach bíodh aige! Is sinne a bheidh ag gáire ag deireadh an lae.'

Labhair sé ansin leis an ngasúr óg léanmhar:

'Cad is ainm duit, a bhuachaill?'

'Orman, a dhuine uasail.'

'An bhfuil rud éigin ag déanamh scime duit, a Ormain, nó tá cuma bhrónach ort.'

'Níl aon údar gearáin agam.'

Ní raibh an Gobán róshásta leis an bhfreagra sin cé nach ndúirt sé faic. Ba léir don saol nach raibh Orman istigh leis féin.

Bhí an Gobán agus Lugh an-chineálta le hOrman sna laethanta a lean. Ní iarrfaidís riamh air rudaí troma a bhreith chucu. Sheas siad suas dó nuair a bhí na saoir eile ag iarraidh ceap magaidh a dhéanamh den bhuachaill bocht. I rith an ama, bhí an obair ag dul ar aghaidh go seoigh. Ní raibh aon chúis ghearáin ag Bagdor gránna.

Tráthnóna amháin tháinig bean mheánaosta go dtí an Gobán:

'Táim an-bhuíoch díot,' ar sise, 'i ngeall ar an gcineáltas a léirigh tú d'Orman. Is mise a mháthair. Is baintreach mé agus níl de chlann agam ach Orman. Orman bocht… chomh spleodrach agus a bhíodh sé tráth. Spleodrach, gealgháireach. Is é a bhí tugtha don spórt agus don scéalaíocht. Ach chuir an rí cosc ar chuile shaghas spraoi tamall de bhlianta ó shin. Ó shin i leith tá Orman léanmhar – tá sé athraithe go hiomlán. An eagla atá orm go bhfaighidh sé bás den chumha.'

Labhair an Gobán: 'Fág fúmsa é, a bhean. Beidh Orman ag baint spraoi as an saol arís sula i bhfad.'

Ghabh sí buíochas leis agus d'imigh léi. An oíche sin agus deireadh tagtha le hobair an lae, d'iarr an Gobán ar Orman teacht go dtí an seomra galánta a tugadh dó féin agus Lugh. Ní chuirfeadh éinne isteach orthu ansin. Shuigh siad síos gur inis an Gobán scéalta barrúla d'Orman, scéalta faoina shaol féin agus na rudaí greannmhara a bhain dó. Níorbh fhada go raibh Orman sna trithí gáire.

D'inis Lugh scéal breá dó faoi Chú Chulainn agus laochra na Craoibhe Rua agus chas sé cúpla amhrán. Bhíodar triúr ina suí go meán oíche. B'in an oíche ba shultmhaire ag Orman riamh. As sin amach bhíodh sé i gcomhluadar na beirte gach oíche. Chomh gealgháireach agus a bhíodh sé! Chonaic a mháthair go raibh biseach iontach tagtha air. Bhuail sí leis an nGobán tráthnóna amháin agus ghabh míle buíochas leis.

'Is é Dia féin a sheol chugainn sibh,' ar sise. 'Ní dóigh liom gur inis mé é seo cheana duit ach tá bua suntasach ag Orman. Bua nach bhfuil ag éinne sa tír seo. Ní scaoilfeadh Orman a rún le héinne ach ó tharla gur tháinig tú i gcabhair air, táim chun é a rá leat anois. Tá na cluasa is fearr ar domhan aige. Chloisfeadh sé an féar ag fás. Dá mbeadh a fhios sin ag Bagdor, mharódh sé é nó bhainfeadh sé mí-úsáid as. Ná scaoil an rún le héinne ná le Lugh féin!'

Cúpla lá ina dhiaidh sin casadh ar a chéile arís iad:

'A Ghobáin,' ar sí, 'tá tú féin agus Lugh i mbaol. Baol uafásach! Aréir agus Orman réidh le dul a chodladh nár chuala sé an rí – a chodlaíonn sa túr ard ar bharr an pháláis – chuala sé an rí ag caint lena mhac, Hegdon. Agus cad dúirt Bagdor gránna? Dúirt sé go raibh eagla an domhain air go n-iarrfadh Rí na Spáinne nó Rí na Gréige oraibh pálás a thógáil dóibh amach anseo a bheadh

ar comhchéim leis an gceann atá á chur le chéile anois agaibh. Agus cad atá beartaithe ag an duine mallaithe? Sibh a chur chun báis chomh luath géar agus a chuirfear an dlaoi mhullaigh ar an obair. A Ghobáin, a chroí, is eagal liom go bhfuil bhur bport seinnte. Níl aon éalú ón dtír seo. Níl bád agaibh agus tá saighdiúirí an rí gach áit.'

Thit an lug ar an lag ag an nGobán. Chonaic sé go raibh sé féin agus Lugh i mbaol marfach. Bhí sé ar buile leis féin. Eisean, an duine ba chliste in Éirinn, nár chóir go mbeadh a fhios aige roimh ré go dtarlódh a leithéid. An raibh seans acu teacht as an ngábh? Shíl an Gobán nach raibh. Ní raibh le déanamh ach a muinín a chur i nDia.

FUASCAILT

BHÍ a chroí ina bhéal ag an nGobán sna laethanta a lean. Níos critheaglaí fós a bhí Lugh. Faoin am seo bhí an pálás geall le bheith tógtha. Foirgneamh fíorálainn a bhí ann gan aon agó. Bhí a fhios ag an nGobán go raibh an pálás go mór chun cinn ar aon rud a bhí tógtha aige féin nó ag aon cheardaí riamh go dtí seo. Ba bheag an sásamh dó é sin, áfach, agus an bás ag bagairt orthu.

Lá amháin d'fhógair an rí go raibh sé chun cuairt a thabhairt orthu. Bhí an Gobán agus Lugh ag cur an dlaoi mhullaigh ar thúir órga dheireanacha an pháláis.

'Tá agam!' arsa an Gobán go tobann.

'Abair!' arsa Lugh.

'Cuirfidh an rí chun báis sinn nuair a bheidh an obair thart. Cuirimis moill ar chúrsaí!'

'Moill?'

'Loinnir a chur ar na túir. Teastaíonn ón rí

go mbeadh loinnir na dtúr le feiceáil gach áit. Ach féach – seo chugainn é.'

Tháinig Bagdor.

'Togha na hoibre déanta agaibh,' ar sé, 'ach féach, a fheara, níl na túir ag glioscarnach.'

'Bhíos díreach chun labhairt leat ina thaobh sin, a Mhórgacht,' arsa an Gobán. 'Tá fadhb againn. Níl an uirlis chuí againn chun an jab a chur i gcrích. Is fíorannamh a iarrtar orainn loinnir a chur ar thúr agus níl ach uirlis amháin a dhéanfadh é. Tá an uirlis sin faoi ghlas agam sa bhaile.'

Ní mó ná sásta a bhí an rí:

'An gceapann sibh go ligfinn daoibh filleadh ar Éirinn? Cá bhfios domsa an dtiocfaidh sibh ar ais choíche!'

D'imigh Bagdor. Labhair Lugh:

'An uirlis sin a luaigh tú, níl a leithéid againn ná ní raibh riamh.'

'An ceart agat. Ach níl a fhios sin ag an rí.'

Níorbh fhada gur fhill an rí. Bhí straois air:

'Bhíos ag caint leis an bPrionsa Hegdon, mo mhac. Tá sé ar intinn agam é a sheoladh go hÉirinn, é féin agus an Captaen Mowgill. Tabharfaidh siad cuairt ar do bhaile féin, a Ghobáin, agus iarrfaidh siad ar bhean chéile Lugh anseo an uirlis a thabhairt dóibh. Ní gá daoibh filleadh ar Éirinn mar sin. Tig libh bhur scíth a ghlacadh go bhfillfidh Hegdon agus an Captaen.'

'Ní bheadh a fhios ag Áine cén uirlis atá uainn,' arsa an Gobán.

'Ní bheadh, is dócha. Ach nach bhféadfá a insint do Hegdon cén uirlis í?'

'Tá ainm an-fhada an-chasta ar an uirlis chéanna,' arsa an Gobán. 'Is beag duine atá in ann cuimhneamh air.'

'Cuimhneoidh Hegdon air. Bí ag caint leis.'

D'imigh Bagdor arís. Tháinig an mac, Hegdon.

'Anois, a Ghobáin, cén t-ainm atá ar an diabhal uirlise sin?' ar sé.

'Ainm na huirlise,' arsa an Gobán, 'ná seo:

Cam in aghaidh an chaim
Cor in aghaidh an choir,
Cor in aghaidh na ceilge.

''Mhuise, is lán béil d'ainm é,' arsa an prionsa go cantalach. 'Abair arís é.'

Dúirt an Gobán arís é, go han-sciobtha. Agus arís eile. Theip glan ar Hegdon é a mheabhrú. Bhí ag briseadh ar an bhfoighne aige.

''Bhfuil a fhios agat, a Phrionsa,' arsa an Gobán,

'scríobhfaidh mé síos duit é.'

Rinne sé é sin. Bhí an pheannaireacht doiléir go maith – sa seanchló gaelach.

'Nílim in ann é seo a léamh i gceart,' arsa an prionsa.

'Léifidh Áine gan stró é,' arsa Lugh, 'agus tabharfaidh sí an uirlis duit.'

B'éigean don phrionsa a bheith sásta leis sin.

Chuir Hegdon agus Mowgill chun farraige. Bhí ríméad ar an nGobán. Ach fós féin bhí imní ar Lugh, rud a luaigh sé leis an nGobán.

'Ná bíodh puinn imní ort, a bhuachaill,' arsa an Gobán, 'nó is bean an-chliste í Áine!'

Thart faoi mhí amháin ina dhiaidh sin bhain an prionsa agus an captaen Éire amach. Chuireadar an long ar ancaire i mBá Bhinn Éadair. Ar aghaidh leo ansin chuig teach an Ghobáin. Bhí eagla go leor ar Áine nuair a leag sí súil ar an bprionsa sotalach agus ar an gcaptaen uafar. Labhair Hegdon go giorraisc léi:

'Táimid i ndiaidh aistear fada a chur dínn ó Thír na Gruaime, áit a bhfuil d'athair agus d'fhear céile ag tógáil páláis dúinn. Tá uirlis áirithe de dhíth ar an nGobán. Faigh í.'

'Tá na céadta uirlisí anseo againn, a Phrionsa,' arsa Áine leis. 'Cén ceann atá uait?'

'Féach, tá sé scríofa síos anseo agam,' arsa Hegdon. 'An Gobán féin a scríobh. Léigh é.'

Bhuail taom eagla í nuair a léigh sí é. *Cam… cor… cealg!* Thuig sí ar an bpointe go raibh Lugh agus an Gobán i mbaol a mbáis.

'Bhuel, a bhean?' arsa an prionsa léi go mífhoighneach.

'Thíos sa siléar atá an uirlis sin,' ar sise. 'Is ann a bhíonn na huirlisí is luachmhaire ag an nGobán.'

'Ar aghaidh linn mar sin,' arsa Hegdon.

Síos leo.

'Cá bhfuil an uirlis sin?' arsa Hegdon.

'Thall ansin, sa chúinne is faide siar uait,' arsa Áine. 'Uirlis bheag bhuí ubhchruthach.'

Chuaigh an prionsa ag cuardach. Amach as an siléar le hÁine. Dhún sí an doras agus chuir glas air.

Cúpla soicind ina dhiaidh sin chuala sí Hegdon ag béicíl:

'A bhean! Cén diabhlaíocht atá ar bun agat?'

Thug sé faoin doras a oscailt. Ach ní raibh gar ann. Bhí sé ina phríosúnach. Labhair Áine:

'Anois, a Phrionsa, a chara, tá tú faoi ghlas agam. Agus is mar sin a bheidh tú go dtiocfaidh m'fhear céile agus m'athair slán abhaile chugam. Tig le do chara filleadh ar Thír na Gruaime agus an scéal a

chur os comhair d'athar.'

D'fhéach Mowgill go cealgach ar Áine nuair a d'fhill sí ar an gcistin. Ach ní raibh aon amhras air faoi chúrsaí go fóill. Amach sa chlós le hÁine. Bhí cúpla fear oibre de chuid an Ghobáin ag bogadh thart. Labhair Áine leo agus lean siad isteach sa chistin í.

Thug Áine an scéal don chaptaen.

'Anois,' ar sise léi, 'is daoine síochánta sinn agus ní mian linn dochar a dhéanamh duit. Gread leat láithreach ar ais chuig do thír mhallaithe féin. Abair leis an rí go bhfuil a mhac mar chime agam agus is ina chime a bheidh sé go dtiocfaidh Lugh agus an Gobán slán abhaile chugam.'

D'imigh Mowgill. Faoi cheann míosa bhain sé amach Tír na Gruaime. Bhí Bagdor ar buile nuair a chuala sé an scéal. Ach thuig sé nach raibh aon dul as aige. Bhí air Lugh agus an Gobán a scaoileadh saor. Chuir sé fios ar an saoi, Gúmgúm.

'Bhuel, a Rí,' arsa Gúmgúm, 'scaoil abhaile iad ach bíodh fir armtha leo chun iallach a chur ar an nGobán scaradh leis an uirlis sin.'

'Sea, a Ghúmgúim,' arsa an rí, 'agus Lugh is an Gobán a thabhairt ar ais arís chugainn! Bhíos ag caint leis an mbásaire ar maidin. Tá an-bhrón air toisc nach bhfuil éinne curtha chun báis aige le tamall!'

Thit an lug ar an lag ag Lugh nuair a thuig sé go raibh scór fear armtha chun iad a thionlacan ar ais go hÉirinn. Ní raibh an Gobán róbhuartha, áfach.

'Tá an-mhuinín agam as Áine,' ar sé. 'Bí cinnte go mbeidh seift éigin aici.'

I gceann míosa shroicheadar Binn Éadair. Chuaigh an Gobán, Lugh agus na saighdiúirí mara ó thuaidh go dtí an seanbhaile. Agus iad i bhfoisceacht an tí, rug na saighdiúirí ar Lugh agus chuir ceangal air. Arsa Mowgill ansin:

'A Ghobáin! Aimsigh an uirlis sin dúinn. Beidh sibh ag filleadh ar Thír na Gruaime ansin. Ní haon amadán é an rí. Agus tusa, a bhean,' ar seisean le hÁine, 'scaoil an prionsa saor nó is duitse is measa.'

'B'fhéidir nach amadán é bhur rí,' arsa Áine leis an gcaptaen, 'ach ní haon óinseach mise ach oiread! Breathnaígí, a fheara! Saighdiúirí Ard-Rí na hÉireann chugainn!'

Cúpla céad slat uathu, ar bharr cnocáin, bhí leathchéad saighdiúir óg faoi éide agus airm. Rinne Mowgill a intinn suas go sciobtha. Ní bheadh seans acu in aghaidh shaighdiúirí an Ard-Rí. Scaoileadh Hegdon saor. Bhailigh muintir Thír na Gruaime leo ansin agus níor chuir an Gobán, ná Lugh ná Áine a mbeannacht leo.

Bhí sult agus spraoi i dteach an Ghobáin an oíche sin.

Caiseal Mumhan

CHUAIGH cúpla bliain thart. Blianta séanmhara síochánta. Bhí an saol ar a dtoil ag an nGobán, Lugh, Áine agus na páistí.

Maidin amháin, buaileadh cnag láidir ar dhoras theach an Ghobáin. D'oscail an Gobán féin an doras. Bhí iontas air. I gcroílár an chlóis bhí carráiste galánta. Ina seasamh láimh leis na capaill bhí tiománaí agus maor agus iad faoi éide agus airm. An fear a chnag ar an doras, ba léir gur duine údarásach ab ea é. Labhair sé:

'Is tusa an Gobán Saor?'

'Is mé cheana. Cé thusa, a dhuine uasail?'

'Art mac Éanna is ainm domsa, príomtheachtaire Rí Mumhan, Cuán mac Amhalghadha. Teastaíonn do chúnamh ón rí, a dhuine chóir. D'iarr sé orm sibhse a bhreith ar ais sa charráiste liom go Caiseal.'

'Cad faoi bhean Lugh agus na páistí? Níor mhaith linn iad a fhágáil ina n-aonar.'

'Tá dóthain spáis do gach éinne i gCaiseal Mumhan.'

Chuireadar uile chun bóthair. Cúpla lá ina dhiaidh sin bhain siad Caiseal na Ríthe amach.

'Á,' arsa an Gobán leis féin, 'ní hiontas go bhfuil ríthe Mumhan chomh teann tréan sin; nach breá an radharc a bhíonn ar a naimhde acu – iad siúd a mbeadh sé de mhisneach acu an caiseal a ionsaí sa chéad áit.'

Chuir Rí Cuán na múrtha fáilte rompu. Cé gur fear sách aosta a bhí ann ní raibh sé ach díreach i ndiaidh teacht ar an gcoróin.

Tráthnóna an lae sin labhair sé leis an nGobán:

'Ar thóg tú séipéal riamh, a Ghobáin? Ar ndóigh, thóg.'

'Cén sórt séipéil a bheadh uait, a Mhórgacht?'

'Séipéal a mhairfidh,' arsa an rí. 'Soir ó thuaidh ón áit seo tá mainistir bheag. Ruán, ab naofa Lothra, a bhunaigh í trí scór bliain ó shin agus manach arbh ainm dó Flann a bhí mar chéad ab uirthi. An t-ab a tháinig mar chomharba air, Flann a bhí air freisin. Tá an tríú hab anois ann. Creid é nó ná creid, Flann is ainm dó siúd chomh maith. Is gaol liom féin é. An aon iontas é gur Doire na bhFlann is ainm don áit. Ar aon nós, tá an séipéal ag titim as a chéile.

Pé amadán a thóg é, níor roghnaigh sé an suíomh ceart. In áit riascach a tógadh é. A shliocht air… tá an séipéal ag dul i mbá bliain i ndiaidh bliana. Is leasc leis an ab féin Aifreann a cheiliúradh ann na laethanta seo.'

Labhair an Gobán: 'Is é atá uait, a Rí, ná go dtógfaí séipéal daingean ar thalamh crua. Déanfaimid é sin agus fáilte.'

'Míle buíochas leat, a phlúr na saor,' arsa an rí. 'Cuirfidh mé scéal chuig Flann láithreach. An dtig libh tosú amárach? Tig! Seolfaidh mé scór saor oilte agus roinnt cuiditheoirí suas go Doire na bhFlann libh.'

Chuaigh an Gobán, Lugh agus an mheitheal fear i mbun oibre an lá dár gcionn. Níorbh fhada go raibh fallaí an tséipéil tógtha acu. Bhí Flann, an t-ab, thar a bheith sásta. Thug an rí cuairt orthu. D'éirigh sé féin agus an Gobán an-mhór le chéile. Is minic a d'inis an Gobán scéalta do Chuán faoi eachtraí a bhain dóibh i dTír na Gruaime agus in áiteanna eile.

Lá amháin agus gnáthchomhrá ar bun acu chonaic an Gobán nach raibh an rí istigh leis féin.

'Tá cuma bhuartha ort, a Rí. Ar mhaith leat do rún a roinnt liom?'

'N'fheadar, a Ghobáin. N'fheadar in aon chor! Rud is ea é seo atá ag cur as dom le fada. Cúpla bliain ó shin tháinig sean-ab ó mhainistir éigin chugam. Bhí giolla á thionlacan agus bosca leis. Thug sé an bosca dom. Bhí seoda luachmhara sa bhosca. An tseoid ba luachmhaire díobh ba chailís í. Bhí an mhainistir áirithe sin suite i gceantar fiáin agus go leor bithiúnach ag cur fúthu ann. Ní nach iontas bhí eagla ar an ab go ngoidfí an chailís. Bhronn sé ormsa í agus a fhios aige go dtabharfainnse aire mhaith di. Mhol sé dom í a bhronnadh ar mhainistir in áit éigin iargúlta. Áit a mbeadh sí sábháilte. An bhfuil a leithéid de mhainistir ann?'

'Tá, anseo i nDoire na bhFlann,' arsa an Gobán. 'Is beag áit atá chomh scoite leis an áit seo, a Rí.'

'Go maith. Tá sé sin socraithe mar sin,' arsa an rí. Fágadh an scéal mar sin.

Ní raibh aon obair le déanamh ar an Domhnach. Tráthnóna Domhnaigh amháin agus an Gobán agus Lugh ar a suaimhneas i gclós an dúin i gCaiseal, chonaiceadar fear óg chucu. Nuair a dhruid sé níos gaire dóibh chonaiceadar go raibh cuma an-traochta air. Ansin ligh Lugh scread:

'A Ghobáin! Féach cé atá chugainn! Is é Orman é, Orman… ár gcara dílis ó Thír na Gruaime.'

An Gobán: Eachtra a hAon Déag

Doire na bhFlann

NÍL insint béil ar an ngliondar a bhí ar an nGobán agus Lugh nuair a bhuaileadar le hOrman.

'Mheasas, a bhuachaill,' arsa an Gobán, 'mheasas nach mbuailfinn go deo arís leat ar an saol seo. Cad a thug go hÉirinn thú?'

'Scéal sách fada é, a Ghobáin,' arsa Orman. 'Bhí rún agam le tamall cúl a thabhairt le Tír na Gruaime agus cur fúm anseo. Tá mo mháthair ar shlí na Fírinne anois.'

'Is údar mór bróin dom é sin. Cathain a cailleadh í?'

'Leathbhliain ó shin. Airím uaim go millteanach í. Ach bhíos bréan de Thír na Gruaime ar aon chuma. Gan inti ach daoine léanmhara. Ba mhinic mé ag cuimhneamh oraibhse agus saol sona suairc a chaitheamh in bhur measc – nó a bheith ag obair in bhur dteannta.'

'Bheadh an-fháilte romhat!' arsa Lugh.

'Go raibh maith agat. Bhí ar intinn agam triall ar

Éirinn ag deireadh na bliana seo ach tharla eachtra sa phálás agus – '

'Eachtra?'

'Inseoidh mé daoibh ar ball beag. Ach ceist agam oraibh. An bhfuil cailís i seilbh Rí Mumhan anseo? Cailís a bhronn sean-ab air?'

'Tá, a bhuachaill. Nó bhíodh. Tá an rí i ndiaidh í a bhronnadh ar mhanaigh Dhoire na bhFlann.'

'Tá Bagdor ag iarraidh í a ghoid.'

'Í a ghoid? Cén t-eolas a bheadh ag Bagdor ina taobh?'

'Scéal fada! Ta cónaí ar shagart i ngar do phálás Bhagdor. Tá sé an-mhór le Hegdon, mac an rí. Conas sin, a déarfá? Tarraingt ar bhliain ó shin tharla go ndeachaigh Hegdon amach ag snámh sa loch ar chúl an pháláis. Ní snámhóir maith é. Is beag nár bádh é. Go deimhin is fuar báite a bheadh sé murach an sagart óg a bheith ag dul thar bráid, gur léim sa loch is gur shábháil an prionsa. Ó shin i leith tá an sagart an-mhór le Hegdon… agus le Bagdor, ar ndóigh. D'fhéadfaí a rá go deimhin go bhfuil tionchar chun maitheasa aige ar Bhagdor. Is beag a bhíonn le déanamh ag an mbásaire na laethanta seo.'

'Is maith sin,' arsa an Gobán.

'Ach ní hin é ach é seo. Cúpla mí ó shin thug an sagart cuairt ar an Talamh Naofa. In Iarúsailéim dó bhuail sé le manach óg as Éirinn. D'inis an tÉireannach scéal dó a bhí spéisiúil go maith. Dúirt sé gur bhain sé le mainistir i gCúige Mumhan agus gur bhronn ealaíontóir céimiúil cailís álainn ar an ab. Dúirt sé freisin go raibh eagla ar an ab go ngoidfí an tseoid luachmhar sin agus gur bhronn sé í ar Rí na Mumhan i gCaiseal.'

'Lean ort!' arsa an Gobán.

'D'fhill an sagart – cara Hegdon – ar Thír na Gruaime. Bhuail sé lá leis an bprionsa. Bhíos-sa ag obair i bpáirc láimh leis an bpálás an lá sin agus chuala mé gach focal den chomhrá. Bhí a fhios agam go dtabharfadh Hegdon an scéal dá athair agus go ndéanfadh Bagdor iarracht greim a fháil ar an gcailís. Fear chomh craosach santach leis níl ar domhan.'

'Lean ort!' arsa Lugh.

'An oíche sin chuala mé Hegdon agus Bagdor ag caint lena chéile sa halla ríoga.

Bhí siad chun an chailís a ghoid, cinnte. Shocraíos ansin go n-éalóinn liom chomh luath géar agus a d'fhéadfainn. Bhí an t-ádh liom. Bhí long thrádála Shasanach ar ancaire sa chuan. Rinne mé margadh leis an gcaptaen. Sa deireadh cuireadh i dtír ar chósta oirdheisceart na hÉireann mé. Shiúil mé liom ó dhúiche Uí Chinsealaigh, aistear céad míle ar a laghad, gur bhain mé an dún seo amach ó chianaibhín. Tá súil agam nach ródhéanach atáim.'

'A Ormain,' arsa an Gobán, 'caithfear an scéal a thabhairt do Chuán, Rí Mumhan.'

Bhí an rí trí chéile nuair a chuala sé an scéal.

'Ná bí buartha, a Rí,' arsa an Gobán. ' Múinimis ceacht do bhithiúnaigh Thír na Gruaime. An bhfuil rún agat, a Rí, an chailís a bhreith ar ais go Caiseal?'

'Bhíos ag smaoineamh air,' arsa an rí.

'Bhuel, ná déan! Lig dóibh teacht go Doire na bhFlann á lorg. Beidh do chuid saighdiúirí rompu ansin.'

Rinne Cuán amhlaidh. Sheol sé trí chéad saighdiúir go Doire na bhFlann. Bhí an Gobán, Lugh agus Orman in éineacht leo. Cuireadh an chailís i bhfolach i dtrinse.

Oíche ghealaí agus an Gobán, Lugh agus Orman ag ligean a scíthe i gclós na mainistreach, chonaiceadar soilse chucu. Chuala siad glórtha arda garbha. Labhair an Gobán:

'Seo chugainn ár gcairde ó Thír na Gruaime. A Ormain, ná feiceadh Hegdon gránna thú. Téigh i bhfolach ar chúl na mainistreach, maith an buachaill.' Rinne Orman amhlaidh.

Níorbh fhada gur shroich Hegdon agus a shlua armtha clós na mainistreach. Sheas an Gobán rompu. Dhruid Hegdon anonn chuige.

'A Ghobáin,' ar seisean, 'chuala gur anseo a bhí sibh. Tá gnó beag le déanamh againn leis na manaigh. Beimid ar ais chugat ansin. Feicim go bhfuil go leor crann anseo. Nach againn a bheidh an spraoi ar ball is sinn ag breathnú oraibh ag damhsa ar cheann rópa!'

Ar aghaidh le Hegdon ansin i dtreo dhoras na mainistreach. An chéad rud eile chuala sé béic ard:

' A Phrionsa Hegdon agus a shaighdiúirí Thír na Gruaime, géilligí in ainm an Rí!'

Captaen arm Chuáin a bhí ag caint. Chonaic Hegdon go raibh sé sáinnithe. Ghéill sé ar an toirt.

Tugadh Hegdon agus a chuid fear ar ais go Caiseal agus sacadh i ndoinsiún iad.

Mhol an Gobán don rí iad a fhágáil tamall maith ann. Ar seisean:

'Agus ná bí rófhlaithiúil leis an mbia. Dhéanfadh tréimhse ghortach maitheas do na ruifínigh sin.'

Scaoileadh abhaile dhá mhí ina dhiaidh sin iad. Níor fhill Hegdon ar Éirinn riamh.

Nuair a cuireadh críoch bhreá ar an séipéal, arsa an Gobán lena mhac, Lugh:

'Fillfidh mé ar Dhoire na bhFlann lá éigin amach anseo. Ach ní beo a bheidh mé an uair sin…'

'Is ait an chaint í sin agat,' arsa Lugh.

I gceann na haimsire, phós Orman iníon le Lugh agus Áine – Áine a bhí uirthi siúd chomh maith – agus bhí saol fada sona acu i dteannta a chéile.

IARFHOCAL

MAR a thuar sé féin, d'fhill an Gobán Saor ar Dhoire na bhFlann. Is ann, de réir an tseanchais, a cuireadh é.

Chuaigh an mhainistir i léig. Sa bhliain 1980, na céadta bliain i ndiaidh bhás an Ghobáin, thángthas ar an gcailís láimh leis an áit ina bhfuil an sárcheardaí curtha. Feicfidh tú Cailís Dhoire na bhFlann má thugann tú cuairt ar Ard-Mhúsaem na hÉireann.

Gluais

a chómhaith	*his equal*
aibí	*clever; mature*
aigeanta	*spirited*
altram	*fosterage*
an dlaoi mhullaigh	*finishing touches*
aolchloch	*limestone*
binbeach	*venomous*
cealg	*treachery*
cime	*prisoner*
coimirceach	*tutelary*
comharba	*successor*
cuing an phósta	*marriage bond*
déircínteacht	*begging*
doinsiún	*dungeon*
dúdaire	*twit*
gágach	*skinny*
giorraisc	*bluntly*
ionraic	*honest*
lánúin	*couple*
mearbhall	*confusion*
niamhrach	*splendid*
riascach	*marshy*
saonta	*gullible*
seascair	*cosy*
seoigh	*fine*
sotalach	*arrogant*
spleodrach	*exuberant*
stuacánach	*stubborn*
suntasach	*remarkable*
tairiscint	*offer*
uafar	*horrendous*

Éire le linn
an Ghobáin

Loch
Súilí

Aileach

Cúige
Uladh

Loch Cairlinn

Cruach
Phádraig

Cúige
Chonnacht

Ríocht na Mí

Cnoc
Uisnigh

◆ Teamhair

Binn Éadair
Áth Cliath

Gleann na Smól

Cúige
Laighean

Cis an Chairn
Boirinn
Corcam Rua

Cnoc Áine

Doire na bhFlann

Caiseal

Corca
Dhuibhne

Cúige
Mumhan

Uíbh Ráthach

Bá Bheanntraí